De cómo decidí convertirme en hermano mayor

Dimiter Inkiow

Traducción de Rafael Arteaga
Ilustraciones de Michaela Reiner

Norma

www.librerianorma.com | www.literaturainfantilnorma.com

Bogotá, Buenos Aires, Caracas, Guatemala,
Lima, México, Panamá, Quito, San José,
San Juan, Santiago de Chile.

Título original en alemán:
Hurra! Unser baby its da
de Dimiter Inkiow

© 1984 Erika Klopp Verlag GmbH Berlín
© 1991 Carvajal Soluciones Educativas S.A.S.
   Avenida El Dorado No. 90-10, Bogotá, Colombia

Marzo, 2017

Impreso por Editorial Buena Semilla
Impreso en Colombia - *Printed in Colombia*

www.librerianorma.com

Traducción: Rafael Arteaga
Ilustraciones: Micaela Reiner
Edición: María Candelaria Posada
Diagramación y armada: Blanca Villalba
Elaboración de cubierta: Patricia Martínez Linares

C.C. 26011035
ISBN 10: 958-04-1307-X
ISBN 13: 978-958-04-1307-3

De cómo decidí convertirme en hermano mayor

Contenido

   I. De cómo decidí ser
      hermano mayor   7
  II. Mamá, ¿cuándo tendremos
      un bebé?   11
 III. De cómo seguí insistiendo   15
 IV. De cómo encargué el bebé 19
  V. De cómo el bebé daba
      patadas   25
 VI. De cómo el bebé se asustó
      y llegó antes   31
 VII. Una película policiaca   37
VIII. Tengo una hermanita de
      tres kilos y medio   41
 IX. La noticia se difunde   47

X. Díganme si no es injusto   53

XI. Susana no tiene pelos
en la cabeza   57

XII. De compras   63

XIII. Qué suerte que Susana
no puede mirarse en
el espejo   69

XIV. De cómo Pedro y Alí
vinieron en comisión
de estudio   75

XV. De cómo le crece el pelo
a un bebé rápidamente   79

XVI. El desodorante ambiental   85

XVII. El mundo es injusto   89

XVIII. Un bebé hace lo que
quiere   93

XIX. De cómo papá exclamó:
¡Hurra! ¡Nos llegó otro
bebé!   97

I. De cómo decidí ser hermano mayor

De todos en mi casa, yo era el que más deseaba que llegara nuestro bebé; yo quería ser un hermano mayor.

Querrás preguntarme por qué.

Porque Gabi —una compañera de curso— estaba siempre muy orgullosa de su hermano mayor. Lo mismo pasaba con mi amigo Pedro. Cuando ellos tienen algún problema, siempre amenazan con su hermano mayor. Nadie en la clase se atreve a molestar a Pedro o a tirarle las trenzas a Gabi pues siempre existe el peligro de que aparezca el famoso hermano mayor.

—Tener un hermano mayor —me dijo Gabi un día—, es lo mejor del mundo.

—¡Por supuesto! —confirmó Pedro—. Un hermano mayor te protege. ¡Qué lástima que tú no tengas uno!

—¿Qué puedo hacer? —les dije.

La verdad es que no podía decir otra cosa. Es imposible encargar un hermano mayor, cuando no se tiene uno.

Pero... entonces, ¡se me ocurrió una gran idea!

Debía ser fantástico tener un hermano mayor. Pero pensé que también sería fantástico ser hermano mayor, y tener hermanos o hermanitas menores para protegerlos. Ellos, además, podrían contar por todas partes, que tenían un hermano mayor.

¡Sería fantástico ser un hermano mayor!

II. Mamá, ¿cuándo tendremos un bebé?

Esperé impaciente a que fuera la hora de salida para correr hasta casa y poder preguntar: "Mamá, ¿cuándo tendremos un bebé?"

De dónde vienen los niños, eso ya lo sé hace tiempo. Por algo estoy en la escuela.

Apenas sonó el timbre, partí disparado. Más rápido que un cohete, subí la escalera de a dos y hasta de a tres escalones de una vez. ¡Y eso que iba con la maleta!

Llegué a casa transpirando y sin aliento.

Al verme, mamá se tomó la cabeza con las dos manos y me dijo:

—¡Dios mío! ¿Qué te pasa? ¡Estás sudando!

—Venía corriendo —le dije.

—¿Y no puedes caminar como todo el mundo? —me preguntó.

—Sí —le contesté—, pero hoy quería llegar lo más rápido posible.

—¿Por qué?

—Porque quiero hacerles a ti y a papá una pregunta muy importante: ¿Cuándo vamos a tener otro niño?

—¿Qué estás diciendo? —exclamó sorprendida mamá.

—Que cuándo vamos a tener otro bebé —dije en voz más alta—. Me gustaría mucho tener un hermanito o una hermanita.

—Dime, ¿qué te pasa? ¿Qué bicho te ha picado?

—Ninguno. Pero tú y papá tienen que apresurarse. Todos los niños tienen hermanos, menos yo.

—¡No grites tanto! —dijo mamá suavemente—. ¡Qué van a pensar los vecinos!

—No importa lo que piensen los vecinos. Sé buena, mamá, dime cuándo vamos a tener un bebé.

—¿Cómo puedo saberlo? —dijo mamá.

—Bueno, para que lo sepas, lo que más quiero es tener un bebé —murmuré rápidamente y me fui para mi alcoba. Allí me quedé solo toda la tarde. Mamá tenía que darse cuenta de que el asunto del bebé era muy serio.

III. De cómo seguí insistiendo

Apartir de ese día, todas las mañanas a la hora del desayuno pregunté lo mismo:

—¿Cuándo vamos a tener otro bebé? ¡Me gustaría tanto tener un hermano o una hermanita!

Mamá y papá sólo se reían. Pero eso ya era una buena señal.

Por eso me atreví a insistir:

—Sé buena, mamá, y dime cuándo llegará nuestro querido bebé. Papá, ¿por qué no entiendes que tengo ganas de tener una hermanita o un hermanito?

—Pero entonces tendrías que compartir tu alcoba con el bebé —dijo papá.

—No importa. ¡Eso me encantaría! —dije yo.

—¿Y cuándo el bebé llore toda la noche? —dijo papá.

—Lo tranquilizaré meciendo la cuna —le contesté.

—Un bebé no es ningún juguete.

—Yo sé.

—Además, cuando llega un bebé, se queda para siempre con uno —dijo papá muy serio.

—¡Eso es lo que yo quiero! ¿Ustedes creen que yo quiero un hermanito para un día o una semana? ¡Lo quiero para toda la vida!

—No es tan sencillo. Un bebé no se puede simplemente encargar. Hay gente que se pasa la vida esperando un bebé. ¿Sabías eso? —me preguntó papá.

—Claro que lo sé, papá. Pero yo creo que si todos lo deseamos, el bebé

llegará algún día. Quiero tener un hermanito o una hermanita. ¿Por qué no lo comprenden?

—Sí, sí; eso lo comprendo muy bien —dijo papá.

—Nunca nos habías dicho que querías tener hermanos —dijo mamá.

—Tienes razón —dije—, pero antes yo era muy pequeño. Ahora lo único que quiero es ser un hermano mayor.

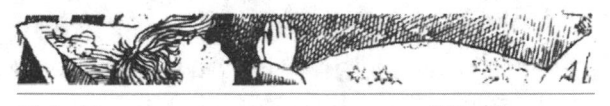

IV. De cómo encargué el bebé

Decidí hacer todo lo posible para que se cumplieran mis deseos de tener un bebé en casa. Me dirigí al responsable final de todos los niños que llegan al mundo.

¿A la cigüeña?, preguntarás. No. Nada menos que a Dios.

Comencé a rezar todas las noches antes de dormirme. Dios tenía que saber que yo quería que tuviéramos un bebé. También recé en nombre de papá y de mamá, porque no sabía si ellos lo hacían. Así pasó mucho tiempo. Pasó tanto tiempo, que ya casi no me acuerdo.

Entonces, llegó un domingo que no podré olvidar nunca. Estábamos todos desayunando. Mamá, papá y yo. Había un rico olor a café y a chocolate. La leche estaba tibia, como a mí me gusta, y el pan fresquito. Era primavera; afuera cantaban los pájaros.

Yo me estaba preparando mi segundo pan con mantequilla, cuando mamá me miró sonriente y me dijo:

—Hoy tengo una gran noticia que comunicarte. Cuando te la diga, vas a saltar hasta el techo de alegría.

—¿Me compraste algo que me gusta mucho? —pregunté ilusionado.

—No. Es algo mucho más bonito: ¡Vamos a tener un bebé!

—¿De verdad?

—De verdad —dijo mamá.

Me quedé mudo. Luego, me subí a la silla y me puse a gritar de alegría:

—¡Yupiii!

Después salté de la silla y di vuel-
tas gritando dichoso:

—¡Yupiii! ¡Yupi!

—Está bien, está bien —me dijo
papá—. Tranquilízate ya.

—¿Tanto te alegras? —me preguntó mamá.

Tuve que volver a subirme a la silla y volver a gritar de pura felicidad. Entonces, quise saber si esa noticia era absolutamente segura.

—Estuve la semana pasada en el médico —dijo mamá—. Él me aseguró que estaba esperando un hijo.

—¿Y dónde está el bebé? —le pregunté.

—Aquí, en mi vientre.

—¿Y cuándo va a salir?

—Cuando crezca lo suficiente. Todavía es muy, muy pequeñito —dijo, mamá.

—¿Tan pequeño como una hormiga, o como un escarabajo? ¿Yo fui también tan chiquito?

—Claro que sí. Cuanto tú estabas adentro, eras muy pequeñito.

—Entonces, mamá, tienes que comer mucho —le dije—. Así nuestro bebé va a crecer más rápido y podrá salir antes del vientre.

V. De cómo el bebé daba patadas

Esa noche me costó mucho trabajo quedarme dormido. Me imaginaba el vientre de mamá, y adentro, en un blando nidito, un bebé muy, pero muy pequeñito. No más grande que una hormiga. ¿Habría sido yo tan pequeño? ¿Cuánto tendríamos que esperar para que el bebé naciera? Soñé toda la noche con nuestro bebé.

Pero el vientre de mamá no crecía tan rápido como yo quería. A veces pensaba que el médico se había equivocado porque mamá seguía viéndose muy delgada.

Sin embargo, al poco tiempo mamá empezó a ponerse más y más gorda. Ya no había ninguna duda de que el bebé estaba adentro. Incluso había comenzado a moverse.

—¿Quieres sentir cómo se mueve? —me dijo mamá.

—¡Sí! —le dije.

Mamá me puso la mano sobre su vientre, y de repente sentí un empujón que venía de adentro.

—Esas son las piernas. Desde ayer está pateando muy fuerte.

Supe que el bebé nos estaba escuchando, porque de inmediato dio otra patada. Y otra. Y otra.

"Pobre mamá", pensé. "Seguro que se va a llenar de moretones si el bebé le sigue dando esas patadas tan fuertes".

—Oye, mamá, ¿yo también te daba patadas así? —le pregunté preocupado.

—¡Por supuesto! Tú eras terrible —me contestó.

—¿Te duele mucho? —le dije.

—No, solamente me hace cosquillas.

Eso me tranquilizó. Ahora comprendía por qué mamá sonreía cuando el bebé se movía adentro de ella.

Muy pronto comenzaron los preparativos para la llegada del bebé. Mamá empezó a tejer pantaloncitos y camisitas. Papá pensaba cómo iba a reorganizar mi alcoba.

—Vas a tener que sacar algunos juguetes —me advertían.

—Está bien —contestaba yo—. Voy a pensar cuáles.

Mamá opinaba que había suficiente tiempo para hacer todo bien. El bebé iba a nacer a fines de enero.

—¿Estás segura? —le pregunté.

—Por supuesto. Me lo dijo el médico —contestó.

"Entonces", pensé, "todavía tengo tiempo para acostumbrarme a la idea de tener que compartir mi alcoba con el bebé". No era una idea tan terrible. Todo lo contrario.

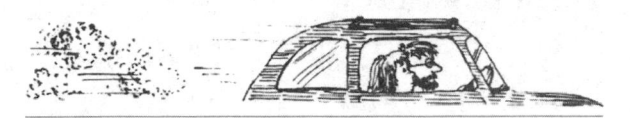

VI. De cómo el bebé se asustó y llegó antes

A veces pasan cosas que nadie espera. Así pasó con nuestro bebé.

Imagínate: el bebé llegó la noche de Año Nuevo, y papá, mamá, el médico y yo lo esperábamos para fines de enero. Incluso la abuela, que le estaba tejiendo una colcha de lana, lo esperaba para esa fecha.

—Cuando el bebé nazca —decía la abuela—, estará lista la colcha.

Pero el bebé nació de repente y colcha no estaba lista aún.

Yo sé por qué el bebé salió esa noche tan súbitamente: los fuegos artificiales lo asustaron.

La verdad es que yo también me asusté, y eso que yo sabía que la noche de Año Nuevo todo el mundo tira cohetes y enciende fuegos artificiales.

Yo me había quedado dormido en un sillón frente al televisor y salté por lo menos un metro cuando empezó a estallar la pólvora. ¡Hacía un ruido espantoso!

El vecino había instalado en su balcón toda una batería de cohetes. Parecía que los hubiera encendido todos al tiempo. ¡Hacían un estruendo infernal!

Asustado, abrí los ojos y lo primero que vi fue a papá y a mamá junto a la ventana, cada uno con una copa de champaña en la mano.

Se besaron e hicieron un brindis.

—¡Te deseo un feliz año! —le dijo papá a mami.

—¡Y yo a ti! —dijo mamá.

De pronto, mamá puso cara de preocupación, se tomó el vientre y exclamó:

—¡Dios mío! ¿Qué vamos a hacer? ¡Este niño ya va a nacer!

—¿Estás segura? —dijo papá, poniéndose muy serio.

—Sí, siento que quiere salir —dijo mamá.

Era claro que ese ruido espantoso había asustado a nuestro bebé, tal como me había asustado a mí.

—¡Voy a llamar a la clínica! —dijo papá y corrió al teléfono.

Después de varios intentos, exclamó:

—¡Parece que no hay nadie! ¡No contestan!

Mamá se sentó en el sofá, muy pálida, y se agarró el vientre con las dos manos.

—¿Sabes? Lo mejor es ir de inmediato a la clínica —le dijo a papá.

—¡Yo también quiero ir! —les dije.

—¡No! —me contestó papá enérgicamente . Tú te quedas en casa.

—Pero yo no me quiero quedar en casa —les dije—. ¡No quiero quedarme solo! ¿Me oyen? ¡No quiero!

Pero nadie me escuchó. Papá se ocupaba sólo de mamá.

Tuve que quedarme en casa, a pesar de las ganas que tenía de ver cómo salía el bebé del vientre de mamá. Porque, como ustedes saben, los bebés no salen caminando. Al comienzo, sólo pueden gatear.

VII. Una película policiaca

Por supuesto, no me podía dormir. Me quedé en la cama, con los ojos abiertos como dos platos. Pensaba en mamá, que ahora estaba en la clínica: "Pobre mamá, ¡ojalá no sienta dolor! ¿Será una niña o un niñito?"

Quería saber, cuanto antes, si iba a tener un hermano o una hermanita. De todas maneras, ¡iba a ser un bebé! Seguro que al comienzo iba a llorar, porque esos cohetes lo habían asustado mucho. Yo hubiera hecho lo mismo en su lugar: salir. Cuando hay mucho ruido, lo primero que uno quiere hacer es mirar para todas partes.

Esta espera era peor que mirar una película policiaca. Nadie sabía si el bebé iba a ser niño o niña. ¿Y qué tal si llegaban mellizos? Eso sí que sería una gran sorpresa. Habría que poner dos cunas en mi alcoba, y guardar aun más juguetes. Claro que había espacio suficiente. Además, la abuelita tendría que tejer, a toda velocidad, otra colcha. Lo más importante es que yo sería dos veces hermano mayor.

Decidí rezar toda la noche, para ver si nacían mellizos. "Si Dios no está muy ocupado", pensé, "escuchará mis oraciones y hará que se cumplan mis deseos".

Seguro que papá pondría una cara larga; sin embargo, nunca sabría quién estaba detrás de toda esa operación.

VIII. Tengo una hermanita de tres kilos y medio

Los mellizos no llegaron. Supongo que no recé suficiente pues, sin darme cuenta, me quedé dormido.

Cuando desperté, la abuelita estaba sentada en mi cama.

—Tienes una hermanita —me dijo—. Pesa tres kilos y medio.

—¡Bravo! ¡Braaaavo! —grité.

Enseguida, me puse a saltar de felicidad, cada vez más alto. Creo que nunca había saltado tanto. Salté hasta que la abuelita me dijo:

—¡Para de una vez! ¡Vas a desba-
ratar la cama!

—Bueno, y ¿cuándo podremos
ver a la niña?

—Más tarde. Mamá debe descan-
sar un buen rato —me dijo.

—¿Tú tampoco la has visto? —le
pregunté.

—Tampoco. Tu papá me llamó
hoy temprano y me contó que era
una niñita.

—¿Qué más dijo? —le pregunté a la abuelita.

—Que mide 53 centímetros y pesa tres kilos y medio.

—¿Papá todavía está en la clínica? —pregunté.

—No. Ya volvió, pero está dormido. No durmió en toda la noche. Voy a hacer el desayuno. ¿Quieres huevos? —me preguntó.

—Bueno —le dije.

Mientras la abuelita hacía el desayuno, me deslicé silenciosamente en la alcoba de papá y mamá y me acurruqué al lado de papá. Estaba tibio.

—Papáaa... —le susurré—. ¿Nuestro bebé es chiquitito?

—Déjame dormir, por favor —murmuró entre sueños.

—Papáaa... ¿y ya sabe que tiene un hermano mayor?

—¡Ya te dije que me dejes dormir! —contestó papá.

—Pero... ¿Ya le hablaste de mí?

Papá no me contestó nada.

Dormía profundamente.

Entonces, me pegué bien a él y pensé que una hermana era mucho mejor que mellizos. Afortunadamente Dios no me había hecho caso. A los mellizos no se les puede distinguir muy bien, porque se ven iguales. Si el uno se llama Pedro y el otro Pablo, uno se equivoca siempre y llama Pablo a Pedro y Pedro a Pablo. Al final, nadie sabe quién es quién, y eso sería terrible. Por eso, era mejor que me hubiera llegado una hermanita. Una hermana pequeña, amorosa, que ahora dormía y que aún no sabía que tenía un hermano mayor.

¡Qué fantástico! De la noche a la mañana me había convertido en hermano mayor.

Tenía que contárselo inmediatamente a todo el mundo.

IX. La noticia se difunde

Desayuné más rápido que nunca. Sólo entonces me di cuenta de que aún no me había vestido.

Me vestí con tanta prisa que me puse dos medias distintas. Pero de eso no se da cuenta nadie, salvo mamá, pero ella no estaba. Yo mismo solo me doy cuenta más tarde, cuando me las quito en la noche. Y siempre me asombra no haberme dado cuenta antes.

Apenas estuve vestido, corrí a la escalera.

—¿Para dónde vas? —alcanzó a gritarme la abuela.

—A ninguna parte. Sólo voy a la escalera —contesté.

Nosotros vivimos en un edificio de ocho pisos. Nuestro apartamento es en el cuarto piso, justo en el medio. Pensé por cuál puerta debía empezar.

¿Sería mejor ir de abajo para arriba, o de arriba para abajo?

Quería contarle a todo el mundo, que teníamos un bebé. Resolví subir en el ascensor hasta el último piso e ir de arriba hacia abajo anunciando la llegada de mi hermanita.

Muchos se asombraron de que yo tocara a la puerta tan temprano en domingo.

—¡Buenos días! Sólo quería decirles que tenemos un bebé —anunciaba entusiasmado.

—¡Felicitaciones! ¿Y qué es?

—Una niñita. Pesa tres kilos y medio. Mide 53 centímetros.

—¿Ya la viste?

—Todavía no, porque papá está durmiendo. Vamos a ir a la clínica después del medio día.

—Entonces, felicita a tu mamá de mi parte. Y a tu papá.

—Muchas gracias.

Y me iba a golpear a otra puerta.

—Buenos días, quería decirles que tengo una hermanita recién nacida.

—¿Verdad? ¡Cómo pasa el tiempo!

—Sí y pesa tres kilos y medio, y mide 53 centímetros.

—¿Ya la viste?

—No. Papá está durmiendo. Iremos a verla por la tarde.

—¡Felicitaciones a tu mamá!

—¡Gracias!

Y así fui de piso en piso, de apartamento en apartamento, hasta llegar abajo, donde vivía el portero del edificio.

—¿Qué pasa, campeón? —me dijo.

—Nada: que tenemos un bebé.

—¡Oh, felicitaciones!

—Pesa tres kilos y medio y mide 53 centímetros —le dije.

—¡Perfecto! ¿Y cómo se llama? —me preguntó.

Caramba, no tenía la menor idea.

—Supongo que no tiene nombre todavía. Acaba de nacer —contesté preocupado.

X. Díganme si no es injusto

El portero me dijo que todo bebé debía tener un nombre. Esto me asombró mucho.

—¿Cómo puede un bebé tener un nombre, cuando está recién nacido y aún no lo han bautizado? —le pregunté—. ¿Quién puede haberle puesto un nombre?

—¡Tus padres! —me contestó sonriendo—. Todos los padres del mundo les ponen nombre a sus hijos, un nombre que ya han elegido y que les gusta.

Eso lo encontré sumamente injusto. Pensé: "Y si el niño encuentra espantoso su nombre, ¿qué puede hacer?"

Tenía que averiguar de inmediato el nombre de mi hermana. Así que corrí donde papá.

—¡Papá! —grité—. ¡Despierta! ¡Es muy importante!

—¿Qué pasa? ¿Qué pasa ahora? —dijo papá.

—Papá, ¿cómo se llama nuestro bebé?

—Susana. ¿No lo sabías? —me dijo.

—No. Nadie me lo había dicho.

—Por supuesto. Lo que pasa es que te has olvidado. Hemos hablado mucho de este asunto. Habíamos pensado que si era niña la llamaríamos Susana o Cristina, por eso, le hemos puesto Susana-Cristina.

—¿Sin preguntarle nada? —pregunté.

—¿Se te ha aflojado una tuerca hoy?

—Claro que no —le dije—. No te hagas el bromista. Me parece muy injusto que los padres puedan ponerle cualquier nombre a los hijos, sin preguntarles antes. ¿Qué pasa con los niños a quienes después no les gusta su nombre?

—Bueno, pueden cambiárselo, si quieren. Pero sólo cuando crecen y son mayores de edad —dijo papá—. Pero, ¿por qué lo preguntas? ¿Acaso no te gusta tu nombre?

—Claro que sí. Y también me gusta Susana-Cristina.

Dicho esto, volví a salir y recorrí de nuevo todas las puertas para contarle a todo el mundo el nombre del bebé.

Sin embargo, me sigue pareciendo injusto que los padres les pongan nombre a los niños sin preguntarles.

XI. Susana no tiene pelos en la cabeza

Tuve que esperar a que pasara toda la mañana para poder ver por primera vez a mi hermana. Me pareció una eternidad. De pura impaciencia, yo había estado saltando en una pierna y luego en la otra.

—¡Quiero ver al bebé! ¡Partamos de una vez! —decía yo cada cierto tiempo.

—Ya sabes que iremos en la tarde —me decía la abuelita, tratando de tranquilizarme.

—Pero, ¿papá por qué duerme tanto? —insistía yo.

—Porque el pobre está muy cansado.

Yo no sabía que el tiempo podía pasar tan despacio.

El abuelo había llegado desde el mediodía.

Finalmente, papá se levantó.

Durante el viaje a la clínica traté de imaginar cómo sería mi hermanita.

Seguro que tenía los ojos azules, como papá. Y un bonito pelo rubio, como mamá. ¿Tendría ricitos?

Al entrar en la clínica, salí corriendo. Pero como yo no sabía en qué habitación estaba mamá, tuve que esperar a los demás.

Una enfermera nos dijo que no podíamos entrar sin que nos pusiéramos unos delantales blancos. Parecíamos médicos, y eso me gustó mucho.

Entonces de pronto, tuve una gran sorpresa: me encontré frente a un bebé, muy, pero muy pequeño, ¡y sin un pelo en la cabeza! Tenía la cara roja como un tomate, y muchas arrugas, como la abuela. Su boca parecía como pintada de un color azul, y le salía saliva. "¡Qué horror!", pensé. "¿Esa es mi hermana?"

Estaba tan desilusionado que no dije palabra.

Justo en ese momento, escuché que la abuela y después el abuelo exclamaban:

—¡Por Dios! ¡Qué preciosura!

Me di cuenta de que decían eso porque no llevaban puestos los anteojos. ¡Gracias a Dios!

El problema era que papá también encontraba maravilloso al bebé, y eso me molestó un poco, o más que un poco. ¿Acaso no tenía ojos? ¿Se habían vuelto todos ciegos?

Lo único que me gustó de mi hermana es que era muy pequeñita. Tenía una voz delgadita y gemía suavemente, como un gatito.

Yo estaba un poco confundido al lado de la cama de mamá. Por fin, me atreví a preguntar:

—Mamá, ¿estás segura de que es una niñita?

—Sí, ¿por qué lo preguntas? —me dijo sonriendo.

—Porque no tiene pelo...

Hubiera sido mejor no decir nada porque todos estallaron en risas. La que más se rio fue la enfermera.

—El pelo le va a crecer después —me contestó mamá.

"Eso habrá que verlo", pensé. "Al abuelo todavía no le ha salido todo el pelo".

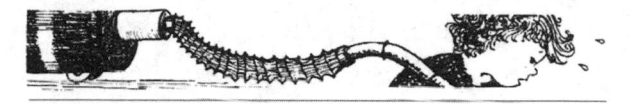

XII. De compras

Como Susana había llegado antes de tiempo, hubo mucho que hacer en la casa los días siguientes. Papá dijo que había que comprar una cuna.

—¡Yo te acompaño! —le dije.

—¡De acuerdo! Pero antes me tienes que ayudar con la limpieza de la casa —me dijo.

—¡Claro que sí! ¡Empecemos de una vez! —contesté feliz. Inmediatamente fui a traer la aspiradora. Me fascinaba. Mamá nunca me daba permiso de usarla.

—¡Espera! —me dijo papá—. Eso se hace después. Primero hay que recoger las cosas, ponerlas en su lugar...

Pero ya era tarde: la aspiradora se había tragado dos enormes serpientes de papel que colgaban desde el techo hasta el suelo. Eran los adornos de Año Nuevo. El motor se trabó y empezó a sonar como la sirena de una ambulancia.

Papá tuvo que desarmar la aspiradora, y sacar las dos serpientes de papel. Lo hizo tan bien y tan rápido que le dije:

—¡Papá, eres genial!

Yo sé que a él le gustan mucho estas frases, así que me salvé. Al día siguiente fuimos a comprar la cuna; primero, tuvimos que ir al banco a sacar dinero.

Papá retiró un montón de billetes. Casi no le cabían en la billetera. Enseguida, fuimos a un almacén especializado en cosas para niños. Buscamos hasta que encontramos una cuna fantástica. Era tan bonita, que pensé meterme en ella, cuando nadie me viera.

Papá acababa de pagar, cuando la vendedora le preguntó:

—¿Ya tiene colchón para esta cuna?

—Claro que no —dijo papá—. ¿Tienen aquí un colchón apropiado?

Cuando papá estaba pagando el colchón, la vendedora le preguntó:

—Perdone, ¿y tiene sábanas de ese tamaño?

—No. Y por supuesto que las necesitamos —le contestó papá.

—Le traeré un par —dijo la vendedora.

Cuando papá estaba pagando las sábanas, la vendedora agregó:

—Usted también necesita una tela impermeable para proteger el colchón.

Enseguida agregamos una pequeña almohada, un par de frazadas y otras sábanas. Luego, un móvil y un pequeño escarabajo rojo, del que salía una cuerda. Al tirar de la cuerda, el escarabajo cantaba: "¡Duérmete, niño, duérmete ya...!"

Papá pagaba y pagaba. Pagó hasta que no le quedó nada de dinero en la billetera.

—Papá —le susurré—. Es mejor que nos vayamos. Si no, vamos a tener que comprar todo el almacén.

Que un bebé tan pequeñito ne-
cesitara tal cantidad de cosas caras,
¡eso no me lo había imaginado nunca!

XIII. Qué suerte que Susana no puede mirarse en el espejo

Mamá y Susana permanecieron en la clínica toda una semana. Durante este tiempo, nuestro apartamento cambió mucho. También tuvimos que comprar una pequeña cómoda, con una superficie para cambiarle los pañales al bebé, que pusimos en mi alcoba. En los cajones metimos la ropa de la niña. Pantaloncitos tan pequeños que daban risa, camisitas como para vestir muñecas. Lo más divertido de todo eran las medias.

Junto a la cómoda, instalamos la cuna. Por supuesto, tuve que sacar muchos de mis juguetes grandes, llevarlos a otro lado o meterlos debajo de mi cama.

Ayudé mucho a papá durante estos días. Una vez instaladas las cosas nuevas, tuvimos que volver a limpiar la casa porque, con tanto movimiento, todo se había vuelto a ensuciar.

Cuando papá fue de compras al supermercado, abrí las ventanas para que se ventilara la casa. Afuera hacía tanto frío que me tuve que poner mi abrigo grueso, una bufanda y hasta mi gorro de piel. Me senté frente al televisor en medio del salón. Tanto era el frío, que me salían gotas de la nariz. Cuando papá regresó exclamó aterrado:

—¡Dios mío! ¡Esto parece Siberia! ¡Nos vamos a resfriar todos!

—No. Es saludable —le dije—. Los bebés necesitan aire fresco.

Al fin pasó la semana y mamá y Susana volvieron a casa. Lo primero que hice fue observar si a Susana le había crecido el pelo. Por desgracia, mi querida hermanita seguía tan pelada como antes.

"¡Pobrecita!", pensé. "Por suerte, no puede mirarse en el espejo".

Si pudiera hacerlo, le daría un susto tan tremendo que se pondría a llorar día y noche. ¿Qué podía hacer para ayudarle? Ella dormía todo el tiempo con los puños apretados junto a la cabeza. ¿Debía comprarle una peluca? Seguro que no había tan pequeñas.

Decidí preguntarle a mi amigo Pedro. Él tiene dos hermanas menores. ¿Habrían sido tan calvas como Susana?

XIV. De cómo Pedro y Alí vinieron en comisión de estudio

Pedro dijo que para dar una opinión tenía que ver al bebé. De lo contrario, no podría decir nada, porque hay personas a las que no les sale pelo durante toda su vida. ¿Te imaginas? ¡Ni un pelo!

—Pero, ¿ella no tiene pelo por alguna parte? —me preguntó Pedro.

—No, me parece que no —le contesté.

—¿No tiene pestañas? —dijo Pedro.

—Sí, claro que tiene pestañas. Y también unas cejas muy pequeñas —le contesté.

—Necesito mirar yo mismo si tiene o no algún pelo en la cabeza.

Decidimos incluir a otro observador que acababa de llegar a nuestra clase: Alí. Sus padres son árabes, Tiene seis hermanas, todas menores que él. Tenía que saber algo acerca del problema del pelo en los bebés.

A Alí le gustó mucho poder participar en la investigación acerca del pelo de mi hermana.

Esa tarde Pedro y Alí fueron a nuestro apartamento. Mamá estaba haciendo algo en la cocina. Los llevé directamente a mi alcoba, para que miraran a Susana con toda calma.

—Seguro que no va a ser calva —dijo Pedro—. Ya tiene unos pelitos muy pequeños y delgados. Casi no se ven, pero tiene.

—Mi hermana menor —dijo Alí—, cuando era bebé, tenía muchos pelitos, negros que le fueron creciendo

y creciendo a medida que pasaba el tiempo. Pero tal vez los bebés de este país no tengan pelos al nacer. Eso sí que no lo sé.

—Sí. Pero a Susana le va a crecer el pelo. Estoy seguro —dijo Pedro—. No es calva, como tú crees.

Eso me tranquilizó, pero seguí pensando en cómo ayudar a mi hermana a tener pelo del modo más rápido posible. Tal como se veía ahora, parecía un niño.

XV. De cómo le crece el pelo a un bebé rapidamente

De repente se me ocurrió una idea genial. Decidí regalarle un poco de mi pelo a mi hermana. Tendría que darle parte de mis rizos, pero no importaba. Se los iba a pegar en la cabeza, con mucho cuidado.

¿Me daría permiso mamá? Era seguro que se iba a poner feliz de que Susana se viera como una niñita.

Por desgracia, mamá no estaba en casa y, por tanto, no pude preguntarle nada. Sus tijeras grandes estaban

en el canasto de costura, y yo tenía
pegante suficiente en mi maleta de
la escuela. Tomé un plato hondo,
me puse frente al espejo, y empecé a
cortarme algunos rizos.

Muy pronto se llenó el plato.

Tomé el pegante y el plato y me
dirigí con mucho cuidado a la cuna
de Susana. Ella dormía, y en ningún

caso debía despertarla. Tenía que pegarle el pelo mientras tanto. Después la pondría frente al espejo; estaba seguro de que se iba a alegrar mucho.

Infortunadamente, despertó casi de inmediato y se puso a llorar como un gatito.

—No llores, Susanita —trataba de consolarla—. Por favor, no sigas llorando. Mira lo que he hecho por ti, para que te veas bonita. Me he cortado mis rizos, para que tú tengas pelo. Deja, deja de llorar. Dentro de poco, te verás como una verdadera niñita.

Ya estaba a punto de pegarle dos preciosos rizos en medio de su calva, cuando entró mamá.

—¿Qué estás haciendo? ¿Por qué llora Susana? —me preguntó cruzando el umbral de la puerta—. ¿Pero qué pasó? ¿Qué hiciste con tu pelo?

—Está aquí —le dije y le mostré el plato lleno de rizos—. Me lo cor-

té para pegárselo a Susana. Lo voy a hacer con mucho cuidado. Así se verá como una niñita.

—¡Dios mío! Afortunadamente llegué a tiempo —exclamó mamá.

De esta manera, Susana siguió siendo calva, y yo tuve que ir de inmediato a la peluquería.

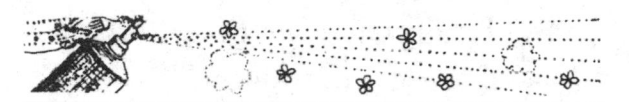

XVI. El desodorante ambiental

Una cosa no me gustaba de mi hermanita: lo terrible que olía cuando se hacía, quiero decir, cuando ensuciaba los pañales.

Se podía oler desde lejos cuando esto pasaba. Claro que yo tengo una buena nariz. Se lo conté a Pedro, una vez que me preguntó cómo le iba a nuestro bebé.

—¿Tu hermanita ya reconoce a la gente? —me preguntó.

—Yo creo que sí —le contesté.

—¿Y se ríe?

—No, todavía no. Sólo llora. Y cuando se hace, todo el apartamento huele terrible —le dije.

—¿Y tú no dices nada?

—No... —le contesté.

—Mira, la solución es que compres un desodorante ambiental. Un *spray* con algún olor agradable.

—Nunca he visto uno. ¿Cómo funciona? —le pregunté.

—Mamá lo usa cuando alguno de nosotros se tira uno... —me dijo Pedro—. O cuando el abuelo viene a la casa y entra al baño. Apenas sale, mamá echa una ráfaga de desodorante y todo queda arreglado.

—Yo creo que mamá no conoce ese aparato tan fantástico. Se lo voy a decir.

Me quedé pensando un rato y le dije a Pedro:

—Oye, Pedro, ¿me puedes prestar un poco de dinero? Yo mismo voy a comprar el famoso desodorante.

—Espera... —dijo—. Si aquí tengo unas monedas.

—Yo tengo otras. Debe ser suficiente... ¿Cómo dijiste que se llamaba eso?

—Desodorante ambiental, *spray*.

—Sí —dije decidido—. Compraré un desodorante ambiental, *spray*. Ya no aguanto ese olor en casa.

Al salir de la escuela, fui con Pedro al supermercado de la esquina y compramos el desodorante ambiental. Lo ensayamos y olía superbien.

Cuando llegué a casa, le dije a mamá:

—¡Mamá! ¡Compré algo fantástico! ¡Ya no olerá mal cuando Susana se haga!

Y le mostré orgulloso mi desodorante ambiental, *spray*.

XVII. El mundo es injusto

Muchas cosas han cambiado desde que Susana está en casa. Por las noches, cuando Susana se despierta y llora, se forma un alboroto. Mamá salta de la cama y papá viene detrás de ella. Le dan al bebé un biberón con leche o la toman en brazos y pasean con ella hasta que se calma.

Aunque les he pedido a papá y a mamá que me carguen en brazos como a Susana, a mí nadie me carga.

—No. Tú ya eres grande y pesas demasiado —dicen mamá y papá.

No soy tan pesado como ellos dicen. A veces me gustaría volver a ser un bebé tan pequeñito como mi hermana, y que mamá me acariciara. O volver a meterme dentro de mamá y sentirme bien calientito.

Además, todo el mundo es simpático con un bebé, aunque se vea tan mal como mi calva hermanita.

¿Por qué se le permite todo a un bebé, y a mí no?

Me gustaría ver qué haría mamá si yo de repente me hiciera en los pantalones. Cuando mi hermana lo hace, parece que todo fuera normal.

Ayer Susana volvió a hacer su gracia. ¡Y en gran cantidad! Cuando mamá le cambió los pañales, el olor era tan espantoso que yo, para ayudar, abrí una ventana.

¿Y qué creen que hizo mamá? ¿Me agradeció acaso? ¡Todo lo contrario!

Me gritó:

—¿Estás loco? ¡Cierra la ventana!

¿Quieres acaso que Susana se resfríe?

—Yo no quiero que Susana se resfríe, pero tampoco quiero que aquí haya ese olor espantoso. Después de todo, esta también es mi alcoba. ¡No aguanto más! —le dije a mamá muy enojado.

—No seas exagerado. No huele tan mal —dijo ella.

—Sí, mamá, ¡es terrible! —grité.

—Entonces, vete a otra parte y cierra la puerta.

Esto era el colmo de la injusticia. Me sentí tan maltratado que le dije:

—Vas a ver, mamá. ¡Vas a ver! Yo también me voy a hacer en los pantalones y entonces me vas a decir si huele espantoso o no.

Y me escondí debajo de la cama. Me iba a quedar allí para siempre, pues yo ya no les importaba nada a mis padres. Lo único que importaba en mi casa era mi hermana calva. ¡Si por lo menos tuviera un par de mechas!

XVIII. Un bebé hace lo que quiere

Mamá fue a buscarme debajo de la cama. Creo que se dio cuenta de que me había ofendido.

—¡Oye! —me dijo, como si no hubiera pasado nada—. ¿Me quieres ayudar a bañar a Susana?

—Bueno —le dije y salí de mi escondite—. ¿Podríamos bañarnos todos juntos en la bañera, tú, Susana y yo?

—Eso lo haremos más adelante, cuando Susana sea un poco más

grande. Todavía es muy pequeña. No sabe ni sentarse —dijo mamá.

—Pero tú puedes ayudarle —insistí—. Tú la puedes sostener para que no le pase nada. Y cuando te canses, te ayudo yo.

—No, no se puede. Es muy peligroso. Es mejor esperar. Verás que el tiempo pasa rápido.

—¡Por favor, mamá! ¡Metámonos los tres en la bañera! —insistí.

—Te prometo que lo vamos a hacer muy pronto. En cuanto se pueda —me dijo mamá.

—Está bien —le dije—. Esperaré. Pero lo prometido es deuda.

Entonces ayudé a bañar a Susana. Es muy divertido, por lo pequeña que es, y por las cosas cómicas que hace con las manos y los pies. Además, con su chapoteo, me moja de pies a cabeza.

Desde que llegó Susana pienso que lo más maravilloso del mundo es ser un bebé. Un bebé lo pasa muy bien. Todos son simpáticos con él.

Todos se maravillan con cualquier cosa que el bebé haga. Incluso cuando se hace en los pañales.

Nadie lo regaña, aunque llore toda la noche sin motivo alguno, y nadie pueda dormir tranquilo. Así fue anoche.

En vez de protestar, como era de esperarse, papá paseo a Susana por toda la casa, la abrazó y le dijo suavemente:

—¿Qué tienes? ¿Qué te pasa, pequeña?

—Le van a salir los dientes —dijo mamá—. Por eso llora. Porque le duele.

Pero mamá estaba equivocada. Yo sé que Susana llora de noche, porque no hace nada en todo el día. Por la noche tiene muchas energías, eso es evidente. Yo también estaría superdespierto si pasara el día durmiendo.

No entiendo por qué papá y mamá no se dan cuenta de algo tan simple. Susana hace lo que quiere con ellos. ¡Y ni siquiera sabe sentarse!

XIX. De cómo papá exclamó: ¡Hurra! ¡Nos llegó otro bebé!

Finalmente, decidí volver a ser bebé. Estaba pensando cómo podría empezar mi nueva vida, y tuve una idea. En la mañana del domingo, comencé a lloriquear en la cama, tal como, lo hacía Susana:

—¡Uahhhh, uahhhh, uahhh!

Lloriqueaba y lloriqueaba, esperando que alguien llegara a consolarme. Por fin, apareció papá, pero en lugar de consolarme, me dijo:

—Por favor, ¡termina con el teatro! Susana duerme. ¿Quieres despertarla?

Yo quedé aterrado. ¡Qué vida la mía!

¿Por qué no me habría quedado para siempre en la edad de los bebés? Estuve triste toda la mañana. Como lo del lloriqueo no había resultado, me puse a pensar en qué otra cosa podría idear para que me volvieran a tratar como a un bebé. Entonces, se me ocurrió una gran idea: Me puse un pañal de Susana, y tomé uno de sus biberones.

Llené el biberón de leche, me tendí en el suelo al lado de la cuna de Susana, y comencé a chupar.

—¡Me convertí en bebé! —comencé a gritar—. ¡Agú, agú! ¡Be-bé! ¡Be-bé!

Mamá llegó y no podía creer lo que veían sus ojos.

—¡Be-bé! ¡Be-bé!

—¡Ven, papá! ¡Ven rápido! Nos llegó otro bebé. ¡Ahora tenemos dos bebés!

Por fin mamá había comprendido.

—¡Sí! —decía yo—. ¡Be-bé!

Papá apareció.

—¡Dios mío! ¡Y este sí que es grande!

—No, ¡soy muy pequeñito! Todavía tengo pañales. ¡Y no sé hablar!

—¿Ah, sí? ¿No sabes hablar? —dijo papá.

—No. Vean: be, be, be...

—Bueno, entonces tendré que cargarte en mis brazos un rato, porque eres un bebé chiquitito.

Y papá me levantó y me paseó en brazos. Me gustó tanto que dije:

—¡Agú, agú!

—¡Hurra! —dijo papá— ¡Tenemos otro bebé!

Y me preguntó:

—¿Te gusta ser un bebé?

—Sí. Mucho —le dije.

—Así te cargaba yo cuando tú eras muy pequeñito. A veces te cargaba horas enteras, hasta que dejabas de llorar.

—¿De verdad? —pregunté.

—¡Por supuesto! ¿Qué crees?

—¿Me tratabas tan bien como a Susana?

—¡Mejor todavía! No olvides que tú fuiste nuestro primer bebé.

Cuando escuché esto, me puse muy feliz. Sólo que ya no quería seguir siendo un bebé.

Entretanto, Susana despertó y se puso a lloriquear en su cuna.

—¡Papá! —le dije— Déjame cargar a Susana. ¡Tendré cuidado!

—Claro. ¡Cárgala! —dijo papá, y la sacó de la cuna y me la pasó.

—No llores, hermanita —le dije lo más suave que pude—. Soy tu hermano mayor y te cuidaré mucho toda la vida.

Susana se fue tranquilizando. Me miró con sus enormes ojos, llenos de asombro, y sonrió. ¡Sonrió por primera vez en su vida!

—... una mancha de puntitos verdes
sonrientes...

—Blanco y verde —exclamó Tata—, ¡qué bella combinación!

—Hermosa combinación, todo si
esplendor —estando el sol...
...

Siempre brillará con los rayos del
Sol, bueno exento.

—Al acercarme más, la nieve em-
pezará a derretirse, cuando se con-
vierta en agua formaré un río, podré ir montaña abajo. Podrese nu-
inventaran.

—¿Por qué embargaron? —preguntó Tata.

—La nube amiga habla de barcos
—respondió el Sol...

—Y pueden —estando los barcos
en cielo...

El Sol continuó...

—Ya llena de mí, es agua volverá
a convertirse en nieve. Cuando eso
suceda, desprendían de la nube amiga y sigan caminando, pues en ese
...